CW00927168

BECHGYN YW'R GORE

gan

ELGAN PHILIP DAVIES

Darluniau gan Jac Jones

Gwasg Gomer
1990

Argraffiad cyntaf — 1990

ISBN 0 86383 622 4

Cyhoeddir dan gynllun comisiynu'r
Cyngor Llyfrau Cymraeg.

Dymuna'r cyhoeddwyr gydnabod cymorth a chyfarwyddyd Adrannau'r Cyngor Llyfrau Cymraeg a noddir gan Gyngor Celfyddydau Cymru.

Argraffwyd gan J. D. Lewis a'i Feibion Cyf.,
Gwasg Gomer, Llandysul, Dyfed.

PENNOD 1

'Da iawn, ferched,' meddai Miss, gan ychwanegu torth gyflawn Tracy at y bwydydd eraill ar y Bwrdd Project. 'Dyna beth yw casgliad da o fwydydd iach a maethlon.'

Cododd Miss fasged wiail fechan yn llawn ffrwythau. 'Bydd hi'n drueni bwyta'r rhain, Anwen.'

Gwenodd Anwen.

'Ti osododd nhw yn y fasged?'

'Ie, Miss.'

'Proffesiynol iawn. A dw i *yn* hoffi'r tatws 'ma, Iola, yn enwedig hon.' Cododd un i fyny fel y gallai'r dosbarth i gyd ei gweld. 'Odi hi'n eich atgoffa chi o rywbeth?' gofynnodd, gan symud y daten yn ôl ac ymlaen. Saethodd hanner dwsin o freichiau i'r awyr.

'Ie, Mair?'

'Ceffyl, Miss.'

'Ie. Welwch chi'r pen a'r coesau? Mae hyd yn oed cynffon bwt ganddi,' ac fe bwyntiodd Miss at ben-ôl y daten. 'Rydych chi i gyd wedi gwneud yn dda

iawn. Winwns braf, Nicola, ac mae'r melon 'ma'n tynnu dŵr o 'nannedd i, Catrin. Dw i'n gobeithio na fydd dy fam yn gweld eisiau ei bisgedi colli pwysau, Carys. Mêl melyn, melys, Mair, a phetai 'na farjarîn ar ôl yn y twbyn 'ma, Bethan, fe allen ni gael brechdanau mêl gyda thorth mam Tracy. Da iawn, ferched. Trueni na fyddai'r bechgyn wedi gwneud cystal.'

Trodd Miss i edrych ar fechgyn

Safon 2. Plethodd ei breichiau, a dyna'r arwydd i'r bechgyn eu bod yn mynd i gael pryd o dafod.

'Beth ddigwyddodd i chi, fechgyn? Fe ofynnais i i *bawb* ddydd Gwener ddod â rhyw fath o fwyd i'r ysgol heddiw fel rhan o'n project ar y corff. Ar ôl penwythnos cyfan i baratoi, dim ond Elwyn sy wedi dod â rhywbeth.'

Cerddodd Miss at siart Y Corff a oedd yn hongian ar y wal. 'Pwyntiau llawn i'r merched,' meddai, gan ysgrifennu ar y siart. 'A dau bwynt yn unig i'r bechgyn—un i Elwyn am ddod â phecyn o flawd, ac un i Iwan, a fyddai wedi dod â rhywbeth, dw i'n siŵr, pe na bai'n sâl ac yn absennol heddiw.'

Gwenodd y merched yn braf wrth weld y rhif 10 ar y siart, ond suddodd calonnau'r bechgyn, yn enwedig calon Alun, wrth weld mai sgôr isel oedd ganddyn nhw.

'Bore fory,' meddai Miss, gan droi i wynebu'r dosbarth, 'dw i am i chi fechgyn, ar wahân i Elwyn, ddod â rhywbeth arall ar thema'r corff. Ond nid bwyd; heddiw oedd y diwrnod i ddod â bwyd. Iawn?'

Nodiodd chwe phen i ddangos eu bod yn deall, a mwmiodd ambell un, 'Iawn, Miss'.

'Iawn, 'te,' meddai Miss, gan edrych ar ei horiawr. 'Ymhen ychydig bydd rhywun yn dod i siarad â ni am fwydydd iach. Mae'r bwydydd hyn sy ar y Bwrdd Project i gyd yn fwydydd iach a maethlon. Pam?' Saethodd yr un hanner dwsin o freichiau i'r awyr ac aeth y wers yn ei blaen gyda Miss yn sôn am beryglon bwyta gormod o fraster.

Ond ni allai Alun ganolbwyntio ar fwyd. Roedd ef wedi cael llond bol ar glywed y merched yn cael eu canmol byth a beunydd am bopeth roedden nhw'n ei wneud. Doedd Miss byth yn canmol y bechgyn, ar wahân i Elwyn, ac roedd ef yn ffrind da i'r merched, yn chwarae gyda nhw, a hyd yn oed yn mynd i'w partïon pen-blwydd! Doedd dim un o'r bechgyn eraill yn mynd i bartïon pen-blwydd merched. Doedd y bechgyn eraill ddim am gael dim i'w wneud â merched mwy nag oedd y merched am gael unrhyw beth i'w wneud â'r bechgyn. Ond doedd Alun ddim yn synnu bod Miss wastad yn canmol y merched, gan ei bod hi'n *ferch* wedi'r cwbl!

Edrychodd Alun ar y siart Darllen Llyfrau a oedd ar y wal yn ei ymyl. Y flwyddyn hon hyd yn hyn, roedd y merched wedi darllen cyfanswm o naw deg pump o lyfrau tra oedd y bechgyn ond wedi darllen saith deg saith o lyfrau. Roedden nhw ymhell ar ei hôl hi.

Cystadlaethau *Cip* neu *Sbondonics,* Clwb y *Cymro* neu dudalen y plant yn y papur bro, roedd un o'r merched yn siŵr o ennill bob tro y byddai'r dosbarth yn cystadlu. Roedd yn ddigon i wneud Alun yn sâl. Efallai mai dyna pam roedd Iwan yn absennol o'r ysgol. Mwy na thebyg ei fod ef hefyd wedi cael digon ar weld y merched ar y blaen. Ac wrth feddwl am Iwan gartref yn sâl cafodd Alun syniad sut y gallai'r bechgyn drechu'r merched am unwaith.

Torrodd sŵn rhywun yn curo ar y drws ar draws breuddwydio Alun. 'Iawn, dawel nawr,' meddai Miss, gan gerdded ar draws yr ystafell i'w ateb.

Pan agorodd hi'r drws trodd pymtheg o bennau i weld pwy oedd yno. Gwelodd Steffan, a eisteddai agosaf at y drws, ddyn mewn cot wen hir yn sefyll yno, a chanddo das o wallt cyrliog coch ar ei ben a sbectol fawr yn gorwedd yn isel ar ei drwyn. Yn ei freichiau roedd bocs cardfwrdd mawr.

'Mr Harris, dewch i mewn,' meddai Miss, ac arweiniodd hi'r gŵr dieithr i flaen y dosbarth.

'Mae e'n edrych yn debyg i wyddonydd gwallgo,' sibrydodd Martin wrth Colin.

'Nage,' meddai Colin, 'mwy fel gwyddonydd gwalltgoch.'

'Hiiiiii!' meddai Martin, gan fethu â rhoi ei law dros ei geg mewn pryd.

'Iawn, blant,' meddai Miss, gan edrych yn grac ar Martin. 'Dyma Mr Harris sy'n cadw'r siop fwyd ar ben y stryd. Mae'n siŵr fod rhai ohonoch chi'n ei adnabod yn barod.'

'Bore da, blant,' meddai Mr Harris, gan roi'r bocs cardfwrdd i lawr ar ddesg Miss.

'BORE DA, MR HARRIS!' meddai'r dosbarth.

'Mae Mr Harris wedi cytuno'n garedig iawn i ddod i siarad am y gwahanol fwydydd mae pobl yn eu bwyta mewn diwrnod,' meddai Miss, a gwenodd Mr Harris ar y plant gan wthio'i sbectol yn ôl i fyny ei drwyn.

'Dw i wedi dod â bwydydd ar gyfer brecwast, cinio, te a swper—ond wna i ddim eich cadw tan hynny!' Yna dechreuodd y siopwr chwerthin. Pan sylweddololodd nad oedd y plant yn chwerthin fe drodd at Miss a gwenodd hithau'n gwrtais arno.

Dechreuodd Mr Harris dwrio yn y bocs cardfwrdd. Ar ôl rhai eiliadau cododd ei ben, gwthio'i sbectol yn agosach at ei lygaid, a chodi dau focs i'w dangos i'r dosbarth.

'Uwd a mŵsli,' meddai. 'Uwd a llaeth twym yn y gaeaf, a mŵsli a llaeth oer yn yr haf. Neu os nad ŷch chi'n hoffi rhywbeth gyda llaeth, beth am gig moch, wy, bara saim a selsig?' Tynnodd becyn o gig moch, bocs o wyau, torth o fara a phecyn o selsig allan o'r bocs mawr a'u rhoi ar ddesg Miss.

'Nawr 'te,' meddai Miss, gan siarad â'r dosbarth, 'pa frecwast yw'r un *iachus?* Yr uwd a'r mŵsli neu'r cig moch a'r selsig?'

Cododd nifer o blant eu dwylo.

'Anwen?'

'Yr uwd a'r mŵsli, Miss.'

'Da iawn, Anwen.'

'Ond cofiwch, does dim byd o'i le ar y cig moch a'r selsig,' meddai Mr Harris. 'Mae e'n frecwast blasus ac mae miloedd o bobl yn ei fwynhau bob bore.'

Edrychodd y plant ar Miss. Efallai bod miloedd o bobl yn ei fwynhau bob bore ond roedd Miss newydd fod yn sôn am beryglon bwyta gormod o fwyd wedi'i ffrio. Ond roedd yn amlwg nad oedd Mr Harris yn mynd i wahaniaethu rhwng y gwahanol fwydydd yr oedd yn eu gwerthu.

GOFAL
CIG MOCH

'I ginio,' meddai Mr Harris, gan wthio'i sbectol i fyny'i drwyn unwaith eto, 'beth am salad?' Ac allan o'r bocs fe dynnodd letysen, dau domato, ciwcymber, shibwns, tun o gig, potel o bicls, potel o fetys, potel o hufen salad a bocs arall o wyau, a rhoi'r cyfan ar ddesg Miss.

Cydiodd Miss yn y letysen a'i dangos i'r dosbarth. 'Mae salad yn dda i chi. Pam? Elwyn?'

'Mae'n ffres, yn dda i'r stumog a does dim llawer o fraster ynddo.'

'Da iawn . . .'

'Ond,' meddai Mr Harris, 'os nad ŷch chi'n hoffi salad, beth am bastai gig, sglodion a ffa pob?' Ac ar y gair ymddangosodd cynhwysion y pryd yn ei ddwylo o grombil y bocs mawr. Roedd yr ystafell ddosbarth fel Byd Hud Robert John gyda bwyd yn ymddangos o bob cyfeiriad a'r plant ar ymyl eu cadeiriau yn disgwyl yn eiddgar am y tric nesaf.

'Ac i de?' holodd Miss.

'Dyw pawb ddim yn bwyta te, ond mae'n dda i blant gael rhywbeth rhwng dod adre o'r ysgol a gwneud eu gwaith cartre—hyd yn oed frechdan gaws neu Marmite a gwydraid o laeth.' A disgynnodd torth arall o fara, pecyn o gaws, jaraid o Marmite a photel o laeth ar y ddesg.

Edrychodd Mr Harris ar Miss, gwthio'i sbectol yn ôl i'w lle, a gwenu. Hanner gwenodd Miss yn ôl, ond roedd golwg amheus ar ei hwyneb. Roedd yn aros i weld beth fyddai'n digwydd nesaf.

'Ond,' meddai Mr Harris, 'os nad ŷch chi'n hoffi caws na Marmite, beth am gael brechdan fêl neu jam (disgynnodd dau botyn ar y ddesg) ac yna deisennod neu fisgedi?' Tynnodd amrywiaeth anhygoel o ddanteithion allan o waelod y bocs.

'Reit, blant,' meddai Miss, fel ergyd o ddryll. 'Pa fwydydd sy'n ddrwg i'ch dannedd? Nicola?'

'Rhai a siwgwr ynddyn nhw.'

'Da iawn. Felly, dim gormod o bethau melys, yntyfe, Mr Harris?'

'O ie, gormod o ddim nid yw dda, ond does . . .'

'Ac i swper?' gofynnodd Miss cyn i'r siopwr gael cyfle i ddweud mwy. 'Rhywbeth ysgafn fel wy neu ffa pob ar dost.'

'Ie, ond os yw'n well 'da chi gael . . .'

'A chofio glanhau'r dannedd cyn mynd i'r gwely.'

'O ie, cofiwch hynny, neu bydd yn rhaid i chi gael dannedd gosod yr un peth â fi,' meddai Mr Harris, a gwthiodd res isa'i ddannedd allan ryw fodfedd o'i geg.

'Wel, *diolch* yn fawr *iawn* i chi am ddod, Mr Harris. Mae gennym dipyn o waith trafod i'w wneud nawr.'

'Gobeithio na fydd e'n ormod i chi'i *dreulio,'* meddai Mr Harris, gan chwerthin.

Gwenodd Miss a dechrau rhoi'r bwydydd yn ôl yn y bocs mawr. 'Rwy'n gwybod eich bod yn ddyn prysur dros ben.'

'Wel, ddim mor brysur â hynny.'

'Blant, dywedwch diolch yn fawr wrth Mr Harris.'

'DIOLCH YN FAWR, MR HARRIS!'

Arweiniodd Miss y ffordd at y drws

ond arhosodd y siopwr wrth y ddesg.

'O, rôn i bron ag anghofio,' meddai. 'Dw i wedi dod â rhywbeth bach i chi blant.' Gwthiodd ei law i mewn i'r bocs cardfwrdd mawr unwaith eto a'r tro hwn tynnodd allan focs du a choch. Agorodd llygaid pob un o'r plant led y pen wrth iddynt sylweddoli mai bocs mawr Mars oedd ganddo.

'Rhannwch rhain rhwng pawb yn y dosbarth,' meddai, gan ei estyn i Miss.

Dechreuodd y plant sibrwd ymysg ei gilydd. Roedden nhw wedi hoffi tric olaf Mr Harris yn fawr iawn.

PENNOD 2

'Tri yr un,' meddai Alun wrth y lleill.

'Tri!' meddai Colin yn syn. 'Cha i byth amser i ddarllen tri llyfr a chwilio am rywbeth ar gyfer y project.'

'Fydd dim rhaid i ti eu darllen nhw, dim ond eu benthyg nhw wyt ti'n mynd i'w neud,' meddai Alun.

'Pwy sy'n mynd i'w darllen nhw, 'te?' gofynnodd Martin.

'Iwan,' meddai Alun a gwên fawr ar ei wyneb. 'Ma'r project yn mynd i'n cadw ni'n brysur drwy'r wythnos, achos rŷn ni'n mynd i neud yn well na'r merched y tro hwn. Ond ma' Iwan gartre gydag annwyd neu fola tost neu rywbeth ac ma' digon o amser 'da fe i ddarllen. Ar ôl iddo fe ddarllen y rhain i gyd, byddwn ni un llyfr ar y blaen i'r merched.'

Roedd hi'n ugain munud wedi tri a Miss wedi rhoi deng munud i'r plant dacluso'u droriau ac i ddewis llyfrau i'w darllen gartref. Ac roedd Alun wedi cael cyfle i berswadio'r bechgyn eraill i'w helpu gyda'i gynllun.

'Dw i ddim yn gwbod pam wyt ti'n poeni,' meddai Martin, gan gau ei lygaid a thynnu tri llyfr ar hap o'r silff.

'Na finne,' meddai Owain. 'Ma'r merched yn licio bod yn gynta ac yn ore. Dw i'n meddwl 'i fod e'n *boring.'*

'Ma' merched yn *boring* am eu bod nhw'n neud pethe *boring,'* meddai Colin.

'Na,' meddai Martin. 'Ma' merched yn neud pethe *boring* am eu bod nhw'n *boring.'* A chwarddodd y bechgyn.

'Ddim Dafydd ap Siencyn,' meddai Steffan, pan welodd fod Owain wedi dewis un o lyfrau'r gyfres. 'Ma' Iwan wedi darllen y rheina i gyd.'

'Dewiswch nhw glou,' meddai Alun gan estyn am y ddau lyfr yr oedd Miss wedi'u rhoi ar y silff yn gynharach y prynhawn. Darllenodd y teitlau'n dawel a gwenu, ac yna aeth at weddill y bechgyn a safai ger bwrdd Miss.

'Rŷch chi'n mynd i fod yn brysur,' meddai Miss wrthynt wrth iddi ysgrifennu teitlau'r llyfrau ar ddalen o bapur.

'Pryd ŷch chi'n mynd i agor y bocs Mars, Miss?' gofynnodd Colin.

'Wel,' meddai Miss gan droi i edrych ar y bocs yr oedd wedi ei roi ar y silff y tu ôl iddi, roedd Mr Harris yn garedig iawn yn eu rhoi nhw i chi, ond ar ôl treulio'r holl wythnosau hyn yn sôn am sut y dylen ni ofalu am y corff, dw i ddim yn gwybod a ddylwn i ddad-wneud yr holl waith da.'

Edrychodd Miss o gwmpas y dosbarth a gweld wynebau hir y plant.

'Ar y llaw arall, os bydd pawb, gan gynnwys y bechgyn,' meddai, gan syllu ar Alun a'i ffrindiau, 'yn gwneud yn dda yn y prawf project ddydd Gwener, efallai — a dim ond efallai — yr agora i'r bocs.'

Goleuodd wynebau'r plant, ac am unwaith doedd Alun ddim yn poeni am y prawf. Nid oedd y bechgyn, fel arfer, yn gwneud yn dda yn y profion project. Doedden nhw byth yn cofio cystal â'r merched. Ond os oedd yna focs o Mars yn y fantol roedd Alun yn sicr yn mynd i roi cynnig da ar gael rhywfaint o'i gynnwys, yn enwedig nawr ac yntau'n awyddus iawn i ddarllen y ddau lyfr yr oedd newydd eu dewis. Ar ei gyfer ef ac nid ar gyfer Iwan roedd y rhain.

Gorffennodd Miss nodi'r llyfrau a gwenodd wrth estyn y ddau olaf i Alun.

'Da iawn, fechgyn,' meddai. 'A chofiwch am eich gwaith cartre heno.'

'Iawn, Miss,' meddai Alun, a oedd wedi cael syniad ynglŷn â hynny hefyd.

* * * *

Cafodd mam Iwan dipyn o sioc pan agorodd ddrws y tŷ a gweld y saith bachgen yn sefyll yno'n gwenu arni. Ychydig dros wythnos yn ôl, yn ystod parti pen-blwydd Iwan, roedd y bechgyn wedi gwneud llanast o'r ardd gefn wrth chwarae gêm a oedd yn gyfuniad o bêl-droed Americanaidd a hela'r Twrch Trwyth. Roedd border cyfan o'i Betsan Brysur gorau ers blynyddoedd wedi ei aredig mewn

CROESO

ychydig eiliadau gan y bechgyn. A dyma'r union rai oedd yn sefyll o'i blaen yn awr yn edrych fel pe baent yn mynd i ganu carol.

'Odi Iwan 'ma?' gofynnodd Alun drwy ei wên lydan.

'Ma' Iwan yn ei wely'n sâl,' meddai ei fam gan ddechrau cau'r drws.

'Rŷn ni 'di dod â llyfre iddo fe,' meddai Alun.

'O,' meddai mam Iwan, yn synnu at garedigrwydd ffrindiau ei mab. 'Wel . . .' a dechreuodd y ffôn ganu yn yr ystafell fyw. 'Dw i ddim yn siŵr,' ychwanegodd braidd yn bryderus. Parhau i ganu wnaeth y ffôn. 'Gwell i chi ddod i mewn tra 'mod i'n ateb y ffôn.' Diflannodd hi i'r ystafell fyw.

Cerddodd y saith bachgen i mewn i'r cyntedd ac edrych o'u cwmpas. Ond pan welsant Iwan yn sefyll ar ben y grisiau yn ei byjamas aethant i gyd i fyny i'w ystafell wely.

'Ôt ti'n lwcus nag ôt ti yn yr ysgol heddi, ' meddai Colin.

'Aeth Miss yn wyllt goncyrs,' meddai Steffan.

'A rhoi lot o waith cartre i ni,' ychwanegodd Owain.

'I chwilio am ddarne o gorff erbyn fory,' meddai Martin.

'Nage,' meddai Huw. 'Pethe sy'n perthyn i'r corff.'

'Rŷn ni 'di dod â llyfre i ti 'u darllen,' meddai Alun.

'Be sy'n bod arnat ti?' gofynnodd Elwyn.

'Dw i ddim yn gwbod,' meddai Iwan gan rwbio'i lygaid. 'Dyw'r doctor ddim wedi dod i 'ngweld i 'to.'

'Fyddi di ddim yn ddigon da i ddod i'r ysgol fory, fyddi di?' gofynnodd Alun.

'Na, dw i ddim yn meddwl. Ma' Mam yn credu mai rhyw fath o frech sy arna i,' a rhwbiodd ei lygaid eto.

Edrychodd Alun yn graff ar wyneb Iwan, ond heb ei gyffwrdd. 'Dw i ddim yn gweld brech,' meddai. 'Ond dwyt ti ddim yn edrych yn iach iawn, odi e Colin?'

'Beth?' gofynnodd Colin a oedd yn astudio casgliad Iwan o geir rasio.

'Ma' un fel'na 'da fi,' meddai Owain, a throdd sylw'r bechgyn i gyd, ar

wahân i Alun ac Elwyn, oddi wrth Iwan at ei deganau.

'Ma' dy lyged di'n goch,' meddai Elwyn wrth Iwan.

'Ma'n nhw'n brifo,' meddai Iwan, gan eistedd ar y gwely a'u rhwbio unwaith eto. 'Ôn i'n methu'u hagor nhw pan ddihunes i bore 'ma. Rôn i'n meddwl bod rhywun wedi'u gludo nhw'n sownd.'

'Paid â'u rhwtio nhw o hyd, neu byddi di'n methu darllen,' meddai Alun.

'Does arna i ddim eisie darllen.'

'Ŷn ni wedi dod â llyfre diddorol iawn i ti,' meddai Alun, gan godi'r llyfrau yr oedd y lleill wedi'u rhoi ar y llawr a'u rhoi yn bentwr yn ymyl Iwan ar y gwely. Edrychodd Iwan ar y llyfrau ond doedd ganddo ddim gwir ddiddordeb ynddynt.

'Os galli di ddarllen y rhain i gyd, ar wahân i'r ddau yma,' meddai Alun gan dynnu dau lyfr allan o'r pentwr a'u rhoi dan ei got, 'cyn dod 'nôl i'r

ysgol, yna byddwn ni *un* llyfr ar y blaen i'r merched. Ma'n hen bryd i ni ddangos iddyn nhw mai ni'r bechgyn yw'r gore.'

'Pam na allwch chi 'u darllen nhw?' holodd Iwan.

'Dw i'n mynd i ddarllen dau,' atebodd Alun. 'Ond ma' lot o waith arall 'da ni i'w neud ar gyfer y project.'

'Ôn i'n mynd i ddod â phecyn o sbageti heddi,' meddai Iwan.

'Gest ti bwynt 'da Miss. Dim ond ti a fi enillodd bwyntie,' meddai Elwyn.

'Dyna pam ma'n rhaid i ni weithio'n galed ar y project nawr,' meddai Alun.

'Gollest ti sbort heddi,' meddai Steffan gan droi ei sylw'n ôl at Iwan. 'Daeth 'na siopwr i ddangos gwahanol fathe o fwyd i ni.' Ac aeth yn ei flaen, gyda thipyn o help gan y bechgyn eraill, i adrodd hanes Mr Harris a'i focs bwyd.

'O, dyma ble'r ŷch chi,' meddai mam Iwan a oedd wedi dilyn sŵn eu chwerthin i fyny'r grisiau. 'Dyw Iwan ddim yn hwylus, a dw i ddim yn siŵr a yw hi'n syniad da i chi fod lan fan hyn.

Ma'r doctor ar ei ffordd a dw i'n credu y byddai'n well i chi fynd cyn iddo ddod.'

O un i un rhoddodd y bechgyn y teganau i lawr a cherdded yn ufudd allan o'r ystafell.

'Cofia am y llyfre,' galwodd Alun o ben y grisiau.

'Iawn,' atebodd Iwan yn dawel gan rwbio'i lygaid.

PENNOD 3

Cariai Alun y cwdyn du dros ei ysgwydd. Ynddo roedd y ddwy goes a'r pen. Roedd gweddill y corff, gan gynnwys y breichiau a'r dwylo, yn y

cwdyn sbwriel du arall a gariai Martin.

Roedd hi'n fore dydd Mawrth ac edrychai nifer o blant, a'u rhieni a oedd yn dod â nhw i'r ysgol y bore hwnnw, yn syn ar y ddau, yn enwedig ar Alun. Roedd y ddwy goes yn llawer rhy hir i fynd i mewn i'r cwdyn sbwriel yn llwyr ac roedd y ddwy droed i'w gweld yn glir.

Cerddodd y ddau'n fawreddog drwy glwydi'r ysgol, yn mwynhau'r holl sylw. Rhedodd ambell blentyn o'r dosbarthiadau iau atynt a gofyn cwestiynau dwl, ond ni chymerodd Alun na Martin unrhyw sylw ohonynt. Roeddynt bron â chyrraedd drws yr ysgol pan glywsant lais y prifathro'n galw arnynt.

'Alun Wyn Morgan a Martin Bishop, beth sy 'da chi yn y sachau sbwriel yna?'

'Model, syr,' meddai Alun.

'Model?' meddai'r prifathro gan gydio ym migwrn un o'r coesau a'i thynnu allan o'r cwdyn.

'Modelau o awyrennau a llongau

oeddwn i'n eu gwneud pan oeddwn i eich oedran chi, nid pobl.'

'Nid ni wnaeth y model, syr,' meddai Alun. 'Wedi cael 'i fenthyg e o siop fy nhad ar gyfer y project ŷn ni.'

'O ie, rŷch chi'n gwneud project ar y corff, on'd ŷch chi?' meddai'r prifathro gan wthio'r goes yn ôl i'r cwdyn. 'Dw i ddim yn gwybod pwy sy fwya dwl, Alun, fi neu dy dad. Iawn, bant â chi.' A phrysurodd y ddau i mewn i'r adeilad gyda'r ddwy droed yn chwifio ffarwél o'u hôl.

Cymerodd Alun gip cyflym i mewn i'w ystafell ddosbarth a gweld bod Owain ac Elwyn yno. 'Iawn,' meddai wrth Martin. 'Dyw Miss ddim wedi cyrraedd eto.'

Brysiodd y ddau i mewn ac aethant yn syth at y Bwrdd Project.

'Fi ddaeth â'r plastar a'r rhwymyn,' meddai Owain.

Trodd Martin at Owain ac Elwyn. 'Arhoswch nes gwelwch chi be sy 'da ni.' Gwagiodd ef ac Alun y ddau gwdyn plastig a dechrau rhoi aelodau corff y model at ei gilydd.

Gwthiodd Martin y goes chwith i mewn i un o'r tyllau a oedd yn y corff.

'Nage,' meddai Alun wrtho. 'Braich sy'n mynd fan'na.'

Tynnodd Martin y goes allan a rhoi braich yn ei lle. Roedd Alun yn brysur gyda'r pen. Ar ôl rhai munudau roedd y pen, y breichiau a'r coesau i gyd yn eu lle. Camodd y ddau yn ôl i gael gwell golwg ar eu campwaith.

'Dyw e ddim yn edrych yn iawn,' meddai Elwyn.

'Nag yw,' cytunodd Alun. 'Y breichie! Ma'n nhw go chwith.' Roedd y pen a'r traed yn wynebu'r blaen ond roedd y breichiau'n troi tuag yn ôl, fel pe bai'r model yn mynd i siglo llaw gyda rhywun a oedd yn sefyll y tu cefn iddo. Symudodd Alun a Martin y breichiau ac roedd y model yn barod, ar wahân i un peth.

'Ma' 'da fe ben wy,' meddai Steffan o'r drws.

'Ma' fe'n dda,' meddai Huw a ddaeth i'r ystafell yn dynn wrth sodlau Steffan. 'Bydd Miss yn siŵr o gael braw o'i weld e.'

'Na, bydd syr yn siŵr o'i rhybuddio hi,' meddai Martin.

'Welodd e chi?' gofynnodd Huw.

'Do.'

'Ac rôdd e'n fodlon i chi ddod ag e i mewn?' gofynnodd Steffan, yn methu â chredu'r peth.

'Wrth gwrs. Fe ddwedon ni mai ar gyfer y project ôdd e.'

'Whiw!' meddai Steffan.

'Rôdd syr yn arfer gwneud modelau o awyrennau a llongau pan ôdd e'n fachgen,' meddai Alun.

'Syr ni?' gofynnodd Owain, a oedd yn hoffi gwneud modelau o longau gofod.

'Ie,' atebodd Alun. 'Dwedodd e nawr, yndofe, Martin?'

'Do,' meddai Martin yn ddidaro.

Siglodd Owain ei ben yn syn yn methu â chredu bod syr wedi bod yn fachgen unwaith gyda'r un diddordebau ag ef.

'Be sy 'da chi'ch dau?' gofynnodd Alun.

Twriodd Huw yn ei sgrepan a thynnu allan bâr o sbectols crwn gyda thâp glud yn cadw'r ddwy ochr at ei gilydd.

'Dyw'r rheina ddim yn rhan o'r corff,' meddai Martin.

'Ma'n nhw'n *perthyn* i'r corff,' meddai Huw.

'Allwn ni 'u rhoi nhw ar y model,' awgrymodd Owain.

'Iawn,' meddai Alun. 'Be sy 'da ti, Steffan?'

‘Rhain,’ meddai, gan roi ei law dde ym mhoced ei drowsus.

‘Beth ŷn nhw?’ holodd Alun pan sylweddololodd nad oedd Steffan yn mynd i dynnu ei law allan o’i boced.

‘Dere â dy law ’ma.’

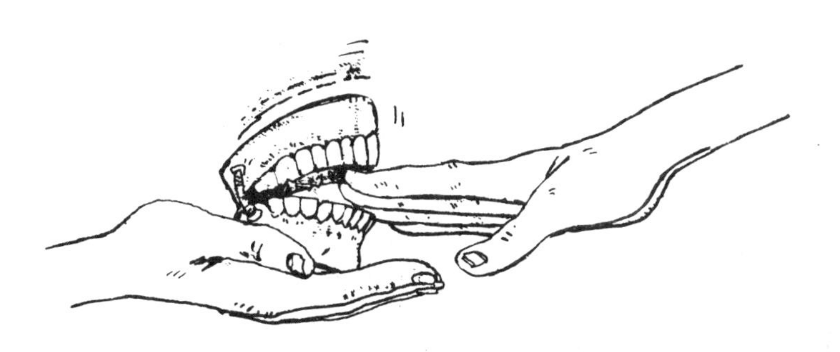

Estynnodd Alun ei law a chnodd Steffan hi gyda phâr o ddannedd gosod a dynnodd o’i boced.

‘Aw!’ meddai Alun gan neidio’n ôl.

‘Dŷn nhw ddim yn rhai iawn,’ meddai Steffan. ‘Os gwnei di’u weindio nhw fe wnân nhw neidio lan a lawr,’ ac fe ddechreuodd weindio’r dannedd.

‘Ma’ hwnna’n edrych yn dwp iawn.’

Trodd y bechgyn at y drws a gweld Carys, Iola, Bethan a Tracy yn sefyll yno.

'Meindia di dy fusnes, Carys,' galwodd Alun. 'Dw i'n gwbod mai cenfigennus wyt ti.'

'Hy!' meddai Carys.

'Dw i'n meddwl 'i fod e'n dda,' meddai Tracy. 'Rôdd un yn arfer bod 'da ni. Fe gawson ni e 'da Mr Foster ôdd yn byw drws nesa i ni. 'Da fe ges i'r llestri te tseina coch. Rôdd Mr Foster wastad yn rhoi pethe da i fi.' Edrychodd Tracy i'r pellter a golwg hiraethus ar ei hwyneb. Yna ychwanegodd, 'Cafodd e 'i losgi ar ben coelcerth Guto Ffowc yn y diwedd'. Trodd pawb i syllu arni.

'Llosgi Mr Foster ar ben coelcerth?' gofynnodd Iola'n syn.

'Na!' ebychodd Tracy, gan synnu at dwpdra'i ffrindiau. 'Y model gafodd 'i losgi.'

'O,' meddai Steffan yn siomedig.

'Wel, dŷn ni ddim yn mynd i losgi hwn. Hwn fydd eitem ore a phwysica'r project,' meddai Alun, gan daro braich y model yn falch iawn. 'A ni'r *bechgyn* ddaeth ag e!'

Crash! Disgynnodd y fraich i'r llawr a chracio.

Chwarddodd Carys a gweiddi, 'Doctor! Doctor! Dw i wedi torri fy mraich!'

Cododd Alun y fraich a'i rhoi yn sownd wrth y corff, ond roedd ei hanner isaf, o'r benelin i'r arddwrn, yn hongian yn llipa.

'Y rhwymyn!' meddai Elwyn, gan ei godi o'r bwrdd a dechrau rhwymo braich y model. Ond roedd yn anobeithiol. Câi drafferth i gadw un pen y rhwymyn yn ei le a throi'r

gweddill o amgylch y fraich. Yna, wedi llwyddo i wneud hynny, methai dynnu'r rhwymyn yn ddigon tyn a llithrai i lawr am arddwrn y model.

'Fe wna i e i ti,' meddai Tracy gan ddatod y rhwymyn. Rôn i'n licio chwarae ysbyty pan ôn i'n llai,' ychwanegodd a rhwymodd y fraich yn ddidrafferth.

'Ma' fe'n edrych yn dda,' meddai Alun dan wenu. 'Allwn ni sôn am ddamweinie nawr.'

Aeth Tracy'n ôl at ei ffrindiau a gofynnodd Carys iddi, 'Pam wnest ti 'u helpu *nhw?* Ddylet ti ddim helpu bechgyn.'

'Ma' hynny'n ddwl,' meddai Tracy.

'Bore da, blant,' meddai Miss, gan gerdded ar draws yr ystafell a rhoi ei bag ar ei desg. 'Pawb yn gynnar heddiw. A beth sy 'da ni fan hyn, 'te?' Cerddodd at y Bwrdd Project.

Camodd Miss o amgylch y model gan edrych yn fanwl iawn arno. Yna, o'r diwedd, gofynnodd, 'Pwy ddaeth ag e?'

'Fi a Martin, Miss,' meddai Alun.

'Da iawn chi. Bydd hwn yn help mawr i'r project.'

Ymsythodd Alun a gwenu'n falch ar weddill y dosbarth, a phan welodd yr olwg sarrug ar wyneb Carys, crychodd ei drwyn arni heb i Miss ei weld.

'Beth arall sy'n newydd yma heddiw?' gofynnodd Miss, gan edrych ar y bwrdd. Cododd y dannedd gosod.

'Fi ddaeth â'r rheina,' meddai Steffan.

'Dw i'n gobeithio nad oes neb yn chwilio amdanyn nhw gartre,' chwarddodd Miss.

'Nag oes, rhai esgus ŷn nhw.'

'O, dw i'n gweld. Ma'n nhw'n edrych yn debyg i rai iawn,' ac fe roddodd Miss nhw'n ôl ar y bwrdd. 'Pwy ddaeth â'r plastars?'

'Fi, Miss,' meddai Owain. 'Fe ddes i â rhwymyn hefyd, ond roedd yn rhaid i ni ei roi e ar fraich y model pan dorrodd hi.'

'Fydd dy dad ddim yn grac, Alun, bod y fraich wedi torri?'

'Na fydd, Miss, hen fodel yw e.'

'Fi ddaeth â'r sbectol,' meddai Huw, a chyn i Miss gael cyfle i ofyn unrhyw gwestiynau lletchwith, fe ychwanegodd, 'Hen rai ŷn nhw, fydd neb yn chwilio amdanyn nhw gartre!'

Gwenodd Miss a dweud, 'Da iawn, fechgyn. Pam na fasech chi wedi gwneud cystal ddoe? Fe gewch chi'r pwyntiau, ond cofiwch, gwnewch bethau'r tro cynta dw i'n gofyn o hyn ymlaen. Iawn?'

'Iawn, Miss.'

Edrychodd ar y model unwaith eto. 'Allwn ni mo'i adael e fel 'na. Bydd e'n siŵr o ddal annwyd,' meddai, gan gymryd ei chot wen o gefn y drws, (yr un a wisgai pan fyddai'n rhoi gwers gelf neu wrth dacluso'r ystafell ddosbarth), a'i gwisgo am y model. Yna edrychodd ar y plant a safai mewn hanner cylch o'i blaen.

'Odi Colin yma?' gofynnodd.

Ysgydwodd nifer o'r plant eu pennau.

'Dyw e ddim wedi cyrraedd eto, Miss,' meddai Martin.

'Gobeithio nad yw e'n sâl fel Iwan,'

meddai. 'Dw i ddim yn credu y gwelwn ni Iwan yr wythnos hon.'

Gwenodd Alun. Roedd wythnos yn fwy na digon o amser iddo ddarllen y llyfrau i gyd. Efallai yr âi â mwy iddo. Roedd pethau'n edrych yn addawol iawn. Iwan yn cau'r bwlch ar y siart Darllen Llyfrau ac yna'r pwyntiau roeddynt newydd eu cael yn dod â'r bechgyn yn gyfartal â'r merched ar siart Y Project. Pwysodd Alun yn ôl yn ei gadair a phlethu'i ddwylo y tu ôl i'w ben. Byddai'n *hawdd* curo'r merched nawr.

'Tra 'mod i'n cofio,' meddai Miss, 'dw i am i chi i gyd — *i gyd*—ddod â'ch dillad ymarfer corff fory. Fe fyddwn ni'n cynnal arbrofion.'

'Shwt fath o arbrofion, Miss?' gofynnodd Owain.

'Gewch chi weld fory. Dydd Iau bydd Nyrs Bowen yn dod yma i siarad am ei gwaith a dweud sut y dylech ofalu am eich cyrff. Iawn, eisteddwch i fi gael gwneud y gofrestr.'

Aeth pawb i'w llefydd a dechreuodd Miss alw enwau'r plant. Atebodd pawb 'Yma' yn eu tro a phan alwodd Miss 'Colin Thomas' fe'i hatebwyd gan 'Yma' o gyfeiriad y drws.

'Roeddwn i'n meddwl efallai dy fod yn sâ...' Cododd Miss ei phen i edrych a methodd â gorffen yr hyn roedd wedi bwriadu ei ddweud. Sylweddolodd y dosbarth fod yna rywbeth o'i le a throdd pawb i edrych i gyfeiriad y drws. Yno safai Colin yn gwisgo trowsus glas a'i hoff siwmper goch a melyn. Ond ar ei wallt yr edrychai pawb. Roedd yn drwch o gwrls oren llachar.

'Colin!' meddai Miss ar ôl dod o hyd i'w llais. 'Beth sy wedi digwydd i dy wallt?'

'Bwyta gormod o foron ac orenau, Miss,' meddai'n dawel, a golwg drist iawn ar ei wyneb. 'Ond ma'r doctor yn dweud na fydd e'n para'n hir.' Holltodd gwên fawr ar draws ei wyneb. Cydiodd yn ei wallt â'i law dde a'i dynnu.

'Wig yw e!' gwaeddodd, gan daflu'r gwallt i'r awyr.

Chwarddodd nifer o'r plant. Trodd Carys at Iola a dweud, 'Rôn *i'n* gwbod trwy'r amser mai wig ôdd e'.

'A finne,' atebodd Iola.

'Wel, Colin, ble gest ti hwnna?' gofynnodd Miss.

'Un fy chwaer yw e, Miss, ond dyw hi ddim yn 'i wisgo fe o gwbwl nawr.'

'Allwn ni ei roi e ar y model?' awgrymodd Bethan.

'Bydd e'n edrych fel pync,' meddai Mair.

Estynnodd Colin y wig i Miss ac aeth hithau y tu ôl i'r model i'w dynnu ar ei ben.

Chwarddodd rhai o'r plant a sibrwd yng nghlustiau eu cyfeillion.

'Beth sy'n bod?' gofynnodd Miss.

'Ma' fe'n edrych yn debyg i Mr Harris,' atebodd Martin.

Camodd Miss o flaen y model er mwyn ei weld yn iawn. Llithrodd y sbectol i lawr ei drwyn. Yr eiliad nesaf roedd Miss yn chwerthin yn afreolus.

PENNOD 4

Ar ôl yr ysgol y noson honno galwodd Alun, Steffan ac Elwyn yn nhŷ Iwan. Roedd Alun am weld sawl un o'r llyfrau roedd Iwan wedi eu darllen. Roedd Steffan am weld ceir rasio Iwan. Roedd Elwyn am weld a oedd Iwan yn well.

Canodd Alun y gloch ac ar ôl disgwyl am hir agorwyd y drws. Yno safai Iwan yn gwisgo'i byjamas gofotwr a sbectol haul.

'Helô,' meddai.

'Pam wyt ti'n gwisgo sbectol haul?' gofynnodd Steffan.

'Am fod fy llyged i'n dost.'

'Dwyt ti ddim yn well, 'te?' gofynnodd Elwyn.

'Nagw. Ma'r doctor yn gweud bod y frech goch arna i.'

Pwysodd Steffan ymlaen i syllu ar wyneb Iwan. 'O, ie, alla i weld smotie ar dy wyneb di.'

'Wyt ti wedi darllen rhai o'r llyfre?' gofynnodd Alun.

'Dw i ddim yn cael.'

'Pam 'ny?'

'Y frech goch sy wedi effeithio ar fy llyged i. Ma'r doctor yn gweud dylwn i orwedd mewn stafell dywyll am rai diwrnode. Ac ma' Mam yn fy ngorfodi i i wisgo'r sbectol haul 'ma pan nad ydw i yn y stafell.'

Ni allai Alun gredu hyn! Dylai'r ffaith fod Iwan gartre'n sâl o'r ysgol fod yn gyfle da i drechu'r merched. Ond na! Roedd yn rhaid i Iwan gael salwch a oedd yn effeithio ar ei lygaid! Pam na allai fod wedi dal rhyw glefyd arall fel . . . fel malaria neu golera, neu dorri ei fraich neu ei goes? Doedd bywyd ddim yn deg.

'Allwn ni ddod i mewn?' gofynnodd Steffan a oedd yn dal i feddwl am geir rasio Iwan.

'Na. Fydd Mam ddim yn fodlon. Fydd hi ddim yn fodlon 'mod i wedi agor y drws. Ma' hi'n siarad â rhywun ar ffôn y gegin.'

Credai Alun fod mam Iwan byth a beunydd yn siarad â rhywun ar y ffôn, ond, gan ebychu'n ddwfn, dywedodd, 'Gwell i ni gael y llyfre'n ôl, 'te'.

Nodiodd Iwan ac i ffwrdd ag ef i fyny'r grisiau i'w nôl.

'Bydd raid i *ni* ddarllen y llyfre nawr,' meddai Alun.

'O, na!' protestiodd Steffan gan nad oedd yn hoff iawn o ddarllen llyfrau.

Clywodd y tri sŵn crash anferth yn dod o'r llofft ac yna sŵn rhywbeth yn disgyn bendramwnwgl i lawr y grisiau. Rhedodd y bechgyn i mewn i'r tŷ a rhuthrodd mam Iwan allan o'r gegin. Cyrhaeddodd y pedwar waelod y grisiau mewn pryd i weld cawod o lyfrau'n disgyn i'r cyntedd.

'Iwan!' galwodd ei fam. 'Beth wyt ti'n 'i neud mâs o dy wely?' Yna gan droi at Alun, Elwyn a Steffan gofynnodd, 'Beth ŷch chi'ch tri'n ei neud yma eto?'

'Wedi dod i weld a yw Iwan yn well,' meddai Elwyn.

'Wel dyw e ddim yn well o gwbwl. I ddweud y gwir mae e'n sâl iawn, ac fe ddylai fod yn ei wely,' meddai gan edrych i fyny'r grisiau at ei mab.

Cododd y tri arall y llyfrau oddi ar lawr y cyntedd. 'Ni ddaeth â'r rhain i Iwan,' meddai Alun pan welodd fam Iwan yn edrych ar y pentwr llyfrau yn ei freichiau. 'Ond os nad yw e'n cael darllen fe ewn ni â nhw.'

'O na newch, wir,' meddai mam Iwan gan gymryd y llyfrau a'u rhoi ar y grisiau.'Ma'r frech goch yn heintus iawn. Gwell i chi adael y llyfrau yma rhag ofn i chi ei dal. Daw Iwan â nhw'n

ôl i'r ysgol ar ôl iddo wella.' A heb roi cyfle i Alun ddweud gair dyma hi'n hebrwng y tri allan o'r cyntedd a chau'r drws yn glep ar eu hôl.

PENNOD 5

'Ma'r frech goch yn gallu bod yn gas iawn. Fydd Iwan ddim 'nôl yn yr ysgol am o leia wythnos arall,' meddai Miss, pan ddywedodd Elwyn wrthi pa salwch oedd ar Iwan.

'Ma' fe'n gorfod bod yn y tywyllwch drwy'r amser a dyw e ddim yn cael darllen hyd yn oed,' ychwanegodd Alun yn drist.

'Mae'n rhaid bod y frech wedi effeithio ar ei lygaid. Mae'n digwydd weithiau. Dwyt ti ddim wedi cael y frech goch, Alun?'

'Nagw, Miss.'

'Dw i wedi,' meddai Anwen. 'Ges i hi pan ôn i'n chwech.'

'Pump ôn i,' meddai Nicola.

'Faint ohonoch chi sy wedi cael y frech goch?' holodd Miss.

Cododd y merched i gyd, ar wahân i Carys, eu dwylo, ond Elwyn oedd yr unig fachgen a gododd ei law.

Hm! meddyliodd Alun, y merched yn ennill eto. Ceisiodd ei gysuro'i hun drwy ddweud mai dim ond merched, a bechgyn oedd yn mynd i'w partïon pen-blwydd, oedd yn cael y frech goch, ond yna cofiodd am Iwan—doedd ef ddim yn mynd i bartïon merched.

'Wel, mae hynny'n ddiddorol,' meddai Miss, gan godi o'i chadair. 'Mae llawer mwy o ferched na bechgyn wedi cael y frech goch. Beth am i ni wneud siart o'r gwahanol glefydau heintus rŷch chi wedi'u cael? Fe allwn weld wedyn pa rai sy fwya cyffredin, ac a oes yna wir wahaniaeth rhwng y rhai y mae merched a bechgyn yn eu cael. Iawn?'

'Iawn, Miss!' meddai nifer o'r plant yn gyffrous.

Cerddodd Miss at y bwrdd du. 'Pa glefydau heintus eraill neu salwch mae plant yn eu cael? Dwylo i fyny. Anwen?'

'Brech yr ieir.'

'Iawn,' ac ysgrifennodd Miss 'Brech yr Ieir' ar y bwrdd du.

'Un arall? Nicola?'

'Y frech Almaenig.'

Ac ysgrifennodd Miss 'Y Frech Almaenig' ar y bwrdd du.

'Elwyn?'

'Y dwymyn doben.'

'Da iawn,' ac ychwanegwyd hwnnw at y ddau arall ar y bwrdd du. Am yr hanner awr nesaf bu'r dosbarth yn brysur yn rhestru clefydau ac yn nodi pa rai roedden nhw wedi eu cael. O'r diwedd roedd ganddynt siart.

Dim ond annwyd a'r frech goch roedden nhw wedi eu ticio ar gyfer Iwan gan mai dyna'r unig ddau y gallai pawb fod yn siŵr ei fod wedi'u cael.

'Beth amdanoch chi, Miss?' gofynnodd Anwen. 'Pa rai gawsoch chi pan ôch *chi'n* ferch fach?'

Ac ychwanegwyd enw Miss at y rhestr.

'Wel, rhwng pawb mae Safon 2 wedi cael popeth. Ac ar wahân i'r frech goch, mae'r bechgyn a'r merched yn weddol gyfartal.'

'Rŷch chi wedi cael yr un pethe â fi, Miss,' meddai Carys dan wenu.

'Allwn ni neud siart arall o bethe rŷn ni wedi'u torri mewn damweinie?' gofynnodd Steffan.

CLEFYDAU / SALWCH SAFON 2

	Annwyd	Y Frech Almaenig	Y Frech Goch	Brech yr Ieir	Y Dwymyn Doben	Y Dwymyn Goch
Anwen	X		X	X	X	
Bethan	X	X	X			X
Carys	X	X		X		X
Catrin	X	X	X		X	X
Iola	X		X	X		
Mair	X		X		X	
Nicola	X	X	X		X	X
Tracy	X		X	X		
Alun	X			X		X
Colin	X	X			X	
Elwyn	X	X	X	X	X	X
Huw	X			X	X	
Iwan	X		X			
Martin	X			X	X	X
Owain	X	X		X	X	
Steffan	X	X				
Miss	X	X		X		X

'O'r gore. Faint ohonoch chi sy wedi torri braich?'

Neb.

'Faint ohonoch chi sy wedi torri coes?'

Neb.

'A oes unrhyw un ohonoch chi wedi torri unrhyw beth? Bys? Trwyn? Troed?' gofynnodd Miss.

Neb.

'Dw i'n gwbod am rywbeth ma' pawb wedi'i dorri,' meddai Elwyn a gwên ddireidus ar ei wyneb.

'Beth Elwyn?'

'Dannedd.'

Gwenodd Miss a dweud, 'Da iawn'.

Saethodd braich Iola i fyny.

'Miss, dw i'n gwbod am rywbeth arall ma' pawb yn y dosbarth wedi'i dorri.'

'Beth, Iola?'

'Gwallt, Miss.'

Chwarddodd rhai o'r plant.

'Miss,' meddai Martin, gan chwifio'i fraich.

'Ie, Martin?'

'Gwynt!'

Chwarddodd y plant i gyd. Canodd cloch amser chwarae.

'Iawn,' meddai Miss, gan guro'i dwylo. 'Dyna ddigon. Dw i ddim yn credu y cawn ni siart da iawn fel hyn. Gobeithio'ch bod chi i gyd wedi dod â'ch dillad ymarfer corff. Byddwn ni'n gwneud arbrofion ar ôl amser chwarae.'

'Shwt fath o arbrofion, Miss?' gofynnodd Mair.

'Arbrofion ffitrwydd.'

'O, ie!' meddai Alun, gan weld cyfle o'r diwedd i ddangos mai'r bechgyn oedd y gorau.

PENNOD 6

Pan ganodd cloch ddiwedd amser chwarae rhuthrodd y plant yn syth i'r tai bach i newid i'w trowseri byr a'u crysau-T. Ni allai Steffan ddod o hyd i'w dreinyr dde am rai munudau a bu'n rhaid iddo arllwys cynnwys ei fag chwaraeon dair gwaith cyn gweld ei bod, rywsut, wedi mynd i mewn i lawes ei siwmper.

Yn nhŷ bach y merched roedd Bethan yn cael trafferth i wisgo'i throwsus byr ac fe fu'n hercian rownd a rownd am yn agos i funud cyn llwyddo i gael ei choes chwith i mewn drwy'r twll. Ond o'r diwedd roedd pawb yn barod ac arweiniodd Miss nhw i gyd allan i'r cae chwarae a oedd y tu ôl i'r ysgol.

Tra bu'r plant yn newid eu dillad, roedd Miss wedi bod yn brysur yn cario amrywiaeth o offer ymarfer corff allan yn barod.

'Arbrofi'r corff fyddwn ni'n ei wneud heddiw yn fwy na'i ymarfer. Ma' arna i eisiau gweld pa mor gyflym y gallwch chi redeg.'

'O, ie,' meddai Huw. 'Yn erbyn y cloc. Dyna sut mae mabolgampwyr yn torri record—fel Colin Jackson.'

'Os bydd rhywun cystal â Colin Jackson yma heddiw, fe gân nhw gystadlu yn y Gêmau Olympaidd nesa,' meddai Miss. 'Dw i hefyd am weld pa mor hir ac uchel y gallwch chi neidio.'

'O, ie,' meddai Mair, gan neidio i fyny ac i lawr.

'Wedyn fe gawn weld pa mor bell y gallwch chi gicio pêl a pha mor bell y gallwch chi daflu bag ffa a chylch rwber.'

Roedd y plant i gyd wedi cynhyrfu'n lân ac yn edrych ymlaen at yr arbrofion. Siaradent ar draws ei gilydd yn dweud pa mor gyflym roeddent yn mynd i redeg neu pa mor bell roeddent yn mynd i daflu cylch rwber.

'O'r gore,' meddai Miss, gan guro'i dwylo. 'Yn gynta dw i'n mynd i'ch amseru chi'n rhedeg rhwng y postyn pella acw a hwn fan hyn. Felly dw i am i chi i gyd fynd draw at y postyn pella.'

Cerddodd y dosbarth i gyd ar draws y cae at y postyn. Cafwyd ychydig o anghytuno rhwng Alun a Carys ynglŷn â phwy oedd yn mynd i sefyll nesaf at y postyn. Llwyddodd Miss i ddatrys y broblem honno drwy roi Alun naill ochr i'r postyn, gyda'r bechgyn eraill mewn rhes ar ei bwys, a Carys ar yr ochr arall i'r postyn, gyda gweddill y merched ar ei phwys hi.

'Dw i am i chi redeg un ar y tro fel y galla i amseru pawb. Iawn?'

Pennau'n nodio.

'Merched a bechgyn am yn ail. Carys yn gynta ac wedyn Alun. Iawn?'

Pennau'n nodio eto.

'Barod, Carys? Ar eich marciau. Barod. EWCH!'

Rhedodd Carys nerth ei thraed i lawr y cae, yn cael ei dilyn gan Mair ac Owain.

'UN AR Y TRO!' gwaeddodd Miss.

Arhosodd Carys yn ei hunfan. Ceisiodd Owain wneud yr un peth ond llithrodd ar y gwair a disgyn yn bwt ar ei ben-ôl. Rhedodd Mair yn ei blaen at yr ail bostyn a chodi'i dwylo uwch ei phen yn fuddugoliaethus ar ôl iddi gyrraedd.

'Fi enillodd!' gwaeddodd gan droi i edrych ar y plant eraill.

''Nôl â ti, Mair,' meddai Miss. 'Nid ras oedd hi. Dim ond Carys oedd i fod i redeg bryd hynny. 'Nôl â chi i gyd ac fe rown gynnig arall arni.'

Aeth pethau'n well y tro nesaf. Rhedodd pawb yn eu tro ac amserodd Miss bob un ohonynt. Y bechgyn (yn naturiol), ar wahân i Elwyn, wrth gwrs, oedd y cyflymaf. Carys oedd y ferch gyflymaf ac roedd hi, Tracy ac Iola wedi rhedeg yn gyflymach nag Elwyn.

'O, Elwyn!' ebychodd Alun, gan godi'i freichiau a'i lygaid tua'r awyr, wrth glywed yr amserau. Fe fyddai Alun wedi hoffi pe bai'r bechgyn i gyd wedi gwneud yn well na'r merched.

Digwyddodd yr un peth gyda'r neidio, y cicio a'r taflu. Roedd Carys a Tracy wastad yn gwahanu Elwyn oddi wrth weddill y bechgyn, a gwnâi hyn Alun yn wyllt. Ond nid oedd Elwyn yn poeni ei fod yn cael ei drechu gan ferched. Gwyddai ef ei fod yn gwneud ei orau glas ac na allai wneud yn well. Ni fyddai poeni amdano yn ei wneud yn well rhedwr, neidiwr, ciciwr na thaflwr—dim ond yn well poenwr, efallai.

Ond er gwaethaf 'methiant' Elwyn roedd Alun ar ben ei ddigon. Am unwaith roedd y bechgyn wedi gallu gwneud sawl peth yn well na'r merched! Gwenai fel gât a daliai ei ddwylo uwch ei ben fel pencampwr.

'Da iawn, bawb,' meddai Miss, a rhoddodd Alun floedd fuddugoliaethus arall. 'Newch chi gasglu'r offer a'u cario i mewn, os gwelwch yn dda?'

Rhedodd y bechgyn i nôl y naid uchel a'r peli gan adael y merched i gario'r bagiau ffa a'r cylchoedd rwber.

'Ni yw'r gore! Bechgyn yw'r gore!' gwaeddodd Alun, ac fe ymunodd Steffan, Martin ac Owain yn y gân.

Gafaelodd Carys mewn bag ffa a'i godi, ynghyd â dyrnaid o wair. 'Dw i 'di cael digon o Alun a'i ddwli.'

'A finne,' meddai Iola. 'Ma' fe mor blentynnaidd.'

'Ac ma'r bechgyn eraill lawn cynddrwg,' meddai Bethan. 'Ma'n rhaid iddyn nhw fod yn gynta ym mhopeth.'

'Doedd hi ddim yn deg cymharu'r bechgyn â ni. Ma' pawb yn gwbod bod bechgyn yn gallu neud mabolgampe'n well na merched,' meddai Carys.

'Dw i ddim yn meddwl bod Miss yn ein cymharu ni'n fwriadol,' meddai Anwen. 'Dim ond eisie dangos sut ma'r corff yn gweithio ôdd hi a dangos bod cyrff bechgyn a merched yn wahanol.'

'Wel fe alle hi fod wedi dewis rhywbeth ma' merched yn gallu'i neud cystal â bechgyn,' meddai Carys, ac yn sydyn fe wenodd. 'Neu hyd yn oed yn well.'

'Fel beth?' gofynnodd Bethan.

Ond nid oedd Carys yn gwrando. 'Dw i'n mynd i weld Miss,' meddai, gan daflu'r bag ffa a'r gwair at Iola a fethodd â'u dal.

'Gobeithio nad yw hi'n mynd i ofyn am gystadleuaeth dal pethe,' cwynodd Bethan.

PENNOD 7

Cyrhaeddodd Carys yr ysgol drannoeth mewn hwyliau ardderchog. Roedd Miss wedi cytuno y byddai'n syniad da i gael arbrawf 'symud yn osgeiddig', fel y galwai hi ef. Dawnsio oedd gair Carys amdano.

Dawnsio oedd gair Alun amdano hefyd ac fe ddywedodd hynny pan soniodd Miss am y peth yn syth ar ôl gwneud y gofrestr.

'Dawnsio!' meddai Alun, a golwg ddiflas iawn ar ei wyneb. 'O, Miss ...!'

'Nage, nage, Alun, nid dawnsio fel y cyfryw,' meddai Miss. 'Dim ond ychydig o *symud* er mwyn i chi gael gweld a sylweddoli sut mae'r corff yn *gallu* symud. Nid dawnswyr yn unig sy'n osgeiddig. Mae'n rhaid i athletwyr a chwaraewyr rygbi a phêl-droed allu symud yn ystwyth. Y gallu i symud yn fedrus sy'n gwneud mabolgampwyr da. Nawr 'te, i ddechrau fe gewch chi i gyd symud y byrddau a'r cadeiriau o'r ffordd tra bydda i'n nôl y tapiau cerddoriaeth.'

'Cerddoriaeth! Ond dawnsio *yw* hynny, Miss,' protestiodd Alun.

'Rŷch chi fechgyn yn cael gwersi dawnsio gwerin gyda Mr Morgan, on'd ŷch chi?'

'Ydyn, Miss,' atebodd y bechgyn yn dawel, a gyda'r un brwdfrydedd ag y dangosent pan fyddai Mr Morgan yn mynd â nhw i gystadlu.

'Felly fe ddylech fod yn ddawnswyr da.'

'Dw i ddim yn teimlo'n dda, Miss,' meddai Owain, gan dynnu cefn ei law ar draws ei drwyn.

'Na fi, Miss,' meddai Colin, gan besychu i brofi hynny.

'Dyna ddigon. Dim ond am ychydig fydd e, beth bynnag. Bydd Nyrs Bowen yn cyrraedd ymhen rhyw ddeng munud ac os byddwch chi'n dal i deimlo'n sâl, fe gaiff hi edrych arnoch chi. Nawr bant â chi.'

Cliriwyd canol yr ystafell a gwasgodd Miss fotwm y peiriant casét. Llanwyd yr ystafell gan lais Owain Gwilym yn canu 'Cuddio yn y Cysgod'. Symudodd y merched i gyd i ganol y llawr a dechrau dawnsio. Cododd Carys, Nicola ac Iola, a gâi wersi *ballet* bob nos Wener, eu breichiau i'r awyr a throi a siglo'n ôl ac ymlaen fel coed yn cael eu chwythu gan wynt cryf ac yn taflu cysgodion rhyfedd. Ceisiodd Bethan eu dilyn ond gan na wyddai sut i ddal ei phen wrth droi cafodd y bendro mewn dim amser a bu'n rhaid iddi eistedd i lawr. Rhedai a neidiai Catrin a Mair o gwmpas yr ystafell heb dalu'r sylw lleiaf i guriad y gân. Arhosodd Anwen a Tracy ar gyrion y llawr yn jeifio'n fedrus.

Ond ni symudodd y bechgyn, dim ond edrych o'u cwmpas fel pe baent yn chwilio am gysgod i guddio ynddo. Edrychodd Miss arnynt yn sefyll yno mor druenus yr olwg. Pesychodd Huw, sychodd Martin, Owain a Steffan eu trwynau, rhwbiodd Colin ei lygaid a phesychodd Alun. Elwyn oedd yr unig un iach yr olwg yn eu plith. Mae'n rhaid fod yna annwyd o gwmpas, meddyliodd Miss. Ond fe ddywedodd, 'Dewch 'mlân, fechgyn. Peidiwch â gadael i'r merched gael y gore arnoch chi.'

Roedd hynny'n ddigon i Alun. Meddyliodd am y merched yn cael eu canmol unwaith eto ac am y bocs Mars. Cydiodd yn siwmperi Owain a Martin a thynnu'r ddau i ganol y llawr a'u harwain yn nawns y glocsen. O un i un ymunodd gweddill y bechgyn yn y ddawns ond gan nad oedd y gerddoriaeth yn addas nid oeddynt yn cadw'r un amseriad. Cicient eu coesau a chwifio'u breichiau i bob cyfeiriad fel melin wynt mewn storm.

'Beth ma' Owain Gwilym yn 'i wisgo yn y gwely?' gofynnodd Martin i Huw a oedd yn chwyrlïo yn ei ymyl.

''Sa i'n gwbod,' atebodd Huw, gan anelu cic at un o'r coed wrth iddi chwythu heibio.

'Pyjabas!' meddai Martin gan wthio Huw a lwyddodd, o drwch blewyn, i beidio â chwympo yn ei hyd ar y llawr, ond cafodd bwl o beswch a adawodd ei wyneb yn goch fel betysen.

Ar ôl rhai eiliadau ychwanegol o ddawns y glocsen penderfynodd

Owain wneud dawns arall. Cydiodd yn llaw dde Colin â'i law chwith, rhoi ei law dde yntau am ganol Colin a dechrau waltsio. Symudodd y ddau o gwmpas y llawr gan ddal eu breichiau o'u blaenau fel swch tarw dur yn ysgubo drwy bawb a oedd mor ffôl ag

aros yn eu ffordd. Dilynodd gweddill y bechgyn eu hesiampl, ar wahân i Elwyn a oedd heb bartner, ac mewn dim amser roedd yr ystafell yn debycach i gae sgramblo nag i ddawns.

'Fechgyn! FECHGYN!' galwodd Miss. 'Dyna ddigon o chwarae dwli. Os na allwch chi ei wneud yn iawn, well i ni roi'r ffidil yn y to.' Diffoddodd y peiriant casét ac edrych ar ei horiawr. 'Mae bron yn amser, beth bynnag. Iawn, dewch â'r byrddau a'r cadeiriau'n ôl.'

'Roedd hwnna'n hyfryd, Miss,' meddai Carys. 'Trueni na fyddai bechgyn mor osgeiddig â merched, yntyfe?'

'Dw i ddim yn credu bod y bechgyn yn poeni rhyw lawer, Carys,' atebodd Miss. 'Ond roeddech chi ferched yn osgeiddig iawn ar y cyfan.'

'Diolch, Miss,' meddai Carys, gan rwbio'i llygaid a oedd eisoes yn goch.

'Wyt ti'n iawn, Carys?' gofynnodd Miss.

'Ydw, Miss. Wedi blino ychydig, dyna i gyd.'

Rhoddodd Miss ei llaw ar dalcen Carys a'i deimlo'n boeth. 'Well i ti fynd i eistedd,' meddai.

Roedd pawb yn eistedd pan ddaeth Nyrs Bowen i mewn i'r ystafell. 'Bore da, bawb,' meddai, gan wenu ar y dosbarth. Gwenodd y plant yn ôl a dymuno bore da iddi. Roeddynt yn hen gyfarwydd â Nyrs Bowen a fu'n ymwelydd cyson â'r ysgol oddi ar pan oeddent yn y dosbarth meithrin.

Siaradodd Nyrs Bowen am ei gwaith am ychydig a dweud faint o ysgolion yr oedd yn ymweld â nhw bob wythnos. Yna dywedodd ei bod am egluro i'r dosbarth pam yr oedd yn eu harchwilio. Roedd y plant yn gyfarwydd â Nyrs Bowen yn archwilio eu pennau, ac yn edrych yn eu clustiau a'u cegau, ac roeddynt yn edrych ymlaen nawr i glywed pam roedd hi'n gwneud hynny.

'Dw i'n credu y byddai'n haws esbonio petai un ohonoch chi'n dod allan fan hyn.'

Trodd y plant i edrych ar ei gilydd. Chwarddodd ambell un o'r merched y tu ôl i'w dwylo a mwmiodd rhai o'r bechgyn nad oedden nhw'n mynd i sefyll fel ffŵl o flaen y dosbarth. Pan sylweddolodd Miss nad oedd neb yn mynd i wirfoddoli, fe alwodd hi ar Alun. Cododd hwnnw'n araf o'i gadair a llusgo'i draed at y blaen.

'Pan dw i'n gofyn i chi roi'ch tafod mâs,' meddai Nyrs Bowen, gan roi ei llaw chwith ar war Alun a gwthio'i

ben yn ôl, 'nid gofyn i chi wneud rhywbeth rŵd ydw i, ond i weld a yw cefn eich tafod yn glir. Os oes 'na stwff gwyn arno yna mae'n dangos bod gennych chi fola tost.' Ac edrychodd Nyrs Bowen i mewn i geg Alun.

'Hm,' meddai, a thynnodd dorts fechan o'i phoced ac anelu'r golau ar y tu mewn i fochau Alun.

'Hm,' meddai'r eilwaith ar ôl rhai eiliadau o archwilio. Yna teimlodd ac edrychodd yn fanwl y tu ôl i glustiau Alun cyn ei anfon yn ôl i'w gadair. Trodd Nyrs Bowen at Miss a siarad yn dawel â hi. Edrychodd Miss allan ar y dosbarth cyn siarad, yr un mor dawel, â Nyrs Bowen. Credodd Iola, a eisteddai ym mlaen y dosbarth, iddi glywed Carys, Owain a Colin yn cael eu henwi, ac roedd yn siomedig na chlywodd ei henw hithau.

'Owain,' galwodd Miss, 'wnei di ddod allan i Nyrs Bowen gael dy weld?'

Cododd Owain o'i gadair a sychu ei drwyn â chefn ei law cyn cerdded yn araf i flaen y dosbarth. Ar ôl i Nyrs Bowen ei archwilio dyma hi'n troi at

Miss a dechreuodd y ddwy siarad yn dawel â'i gilydd unwaith eto. Yna arweiniodd Miss Nyrs Bowen at y siart o glefydau heintus a oedd wedi ei osod ar y wal.

Tra astudiai Nyrs Bowen y siart, trodd Miss at y dosbarth a dweud,

'Mae Nyrs Bowen am eich archwilio chi i gyd. Nid fel rhan o'r project ond am ei bod yn meddwl bod sawl un ohonoch yn diodde o'r frech goch.'

PENNOD 8

Roedd hi'n chwarter wedi pedwar brynhawn dydd Gwener a gorweddai Alun yn ei wely. Roedd llenni'r ystafell ar gau ac roedd ei fam wedi ei wahardd rhag cynnau'r golau i ddarllen. Ond er bod amser yn llusgo yn gorwedd yn y gwely yn gwneud dim byd, nid oedd awydd darllen ar Alun.

Roedd wedi meddwl sawl gwaith yn ystod y dydd mor annheg oedd popeth. Pe na bai Miss wedi ei ddewis ef i gael ei archwilio gan Nyrs Bowen, efallai y byddai wedi gallu mynd i'r ysgol heddiw. Nid am ei bod hi'n gas ganddo golli diwrnod o'r ysgol yr oedd Alun yn credu bod popeth mor annheg—roedd yn dal i feddwl am focs Mars Mr Harris.

Beth pe bai Miss yn cynnal y prawf project ac yn rhoi'r siocled yn wobr? meddyliodd. Neu'n waeth fyth, beth pe bai'n rhannu cynnwys y bocs rhwng pawb a oedd yn y dosbarth *heb* gynnal y prawf? Ond wedyn, nid oedd Miss wedi dweud yn bendant y byddai'n rhoi'r siocled i'r plant.

Ochneidiodd Alun a throi ar ei ochr. Roedd wedi bod mor siŵr y gallai'r bechgyn drechu'r merched y tro hwn, ac roeddynt wedi dod mor agos at lwyddo, ond oherwydd y frech goch roedd ei obeithion wedi eu chwalu. Oherwydd y frech goch roedd Iwan wedi methu â darllen y llyfrau ac oherwydd y frech goch roedd yntau wedi methu â dangos i Miss gymaint a wyddai am y corff.

Pan welodd Alun Miss yn rhoi *Sut Mae'r Corff yn Gweithio* a *Hwyl ar Ffeithiau: Eich Corff* yn ôl ar y silff lyfrau fore dydd Llun, roedd yn siŵr mai allan o'r llyfrau hynny y byddai hi'n dewis cwestiynau ar gyfer y prawf project. Ar ôl eu benthyg roedd Alun wedi treulio oriau'n edrych ar y lluniau ac yn darllen y ffeithiau yn barod ar gyfer y prawf. Ond nawr roedd y cyfan yn ofer. Ochneidiodd unwaith eto a throi ar ei gefn.

Yn y golau gwan gwelodd Alun ddrws yr ystafell yn agor. Gobeithiai nad ei fam oedd yno gyda gwydraid arall o Lucozade.

'Alun? Wyt ti ar ddi-hun?'

Tynnodd Alun ei hun i fyny yn y gwely. 'Elwyn, beth wyt ti'n 'i neud 'ma?'

'Dod i dy weld di,' meddai Elwyn gan gerdded i mewn i'r ystafell.

'Ôdd Mam yn fodlon i ti ddod lan?'

'Ôdd. Dw i wedi cael y frech goch. Wyt ti ddim yn cofio'r siart clefyde heintus?'

'O ie,' meddai Alun, gan feddwl unwaith eto am y project. 'Fuest ti yn yr ysgol heddi?'

'Do, rôdd hi'n dda 'na, 'fyd. Fi ôdd yr unig fachgen yn y dosbarth.'

'Dim ond ti?'

'Ie. Rôdd pawb arall wedi dal y frech goch.'

'Beth am y merched? Faint ohonyn nhw oedd yn yr ysgol?' gofynnodd Alun, gan feddwl am y prawf.

'Rôn nhw i gyd 'na, ar wahân i Carys. Doedd hi ddim wedi cael y frech goch o'r blaen.'

'Gawsoch chi'r prawf project?'

'Naddo,' atebodd Elwyn. 'Doedd Miss ddim 'na, chwaith.'

'Miss?' gofynnodd Alun, ond yna cofiodd am y siart clefydau heintus. 'Doedd hi ddim wedi cael y frech goch, chwaith.'

'Nag ôdd,' meddai Elwyn. 'Rôdd Nyrs Bowen yn credu mai ym mharti pen-blwydd Iwan y cawsoch chi i gyd y frech a'ch bod chi wedi ei chario i'r ysgol.'

'Pwy ôdd yn eich dysgu chi heddi, 'te?' gofynnodd Alun.

'Syr.'

'Be gawsoch chi gydag e?'

'Rhain,' meddai Elwyn, a thynnu

dau faryn anferth o Mars allan o'i boced.

Agorodd llygaid Alun led y pen. 'Roddodd syr y Mars i chi?'

'Do. Fe welodd e'r bocs a gofyn pwy ôdd pia nhw. Dwedes i mai Mr Harris ôdd wedi eu rhoi nhw i ni, a dwedodd syr, "Well i chi 'u cael nhw, 'te".'

'Dw i ddim yn credu y bydde Miss wedi'u rhoi nhw i ni,' meddai Alun gan gymryd y Mars.

'Na,' meddai Elwyn. 'Dim ond merch yw Miss, ond mae syr yn *fachgen*.'

Rhwygodd y ddau'r papur du. Bechgyn *yw'r* gore, meddyliodd Alun, a chnoi cwlffyn anferth o'r siocled.

Llyfrau eraill yng Nghyfres Corryn:

HELYNT Y FIDEO	Gwenno Hywyn
Y BLAS SY'N CYFRI	Alwena Williams
MERCH Y PENNAETH	Gwenan Jones
Y PEIRIANT AMSER	Irma Chilton
DIWRNOD TAN GAMP?	Gruff Roberts
SBECTOL AM BYTH	Delyth Lewis
CASTELL NORMAN	Siân Lewis
MATH A'R FÔR-FORWYN	Meinir Pierce Jones
EUROG	Irma Chilton
NAIN AR GOLL!	Elwyn Ashford Jones
CYFRINACH BETSAN MORGAN	Gwenno Hywyn
Y GWYLWYR	Siân Teifi
Y BWGARTH	Nansi Pritchard
MANUEL	Dilwen M. Evans
BWRW SWYN	Irma Chilton
DIWEDD Y GÂN . . .	Mair J. Parry
LOTI	Meinir Pierce Jones
MAC PYNC	Alys Jones
TRYSOR YN Y FYNWENT	J. Selwyn Lloyd
CYFRINACH AFON DDU	Eirlys Gruffydd
LOSIN Y DEWIN	W. J. Jones
CYNFFON ANTI MEG	Ray Evans
Y CYLCH LLACHAR	Gethin Huw Thomas
HAFAN FACH AM BYTH!	Gwenno Hywyn
'D.P.B. UN YN GALW!'	Urien Wiliam
PROFFESOR PWYNA!	Margiad Roberts
PARTI DA!	Irma Chilton
YR YSBRYD ARIAN	Alys Jones
CARIAD MISS	Elgan Philip Davies
YR ARWR CWTA	Siân Lewis
CHWANNEN	Emily Huws